了不起的新朋友

图书在版编目（CIP）数据

了不起的新朋友 /（奥）威宁格著；（法）塔勒绘；杨玲玲，彭懿译. — 北京：中信出版社，2016.3（2023.5 重印）
（遇见美好系列. 第 1 辑）
书名原文：One for all-All for one
ISBN 978-7-5086-5698-4

Ⅰ. ①了… Ⅱ. ①威… ②塔… ③杨… ④彭… Ⅲ. ①儿童文学—图画故事—奥地利—现代 Ⅳ. ①I521.85

中国版本图书馆 CIP 数据核字（2015）第 277226 号

ONE FOR ALL-ALL FOR ONE
a minedition book

了不起的新朋友

著　　者：[奥] 布丽吉特·威宁格
绘　　者：[法] 伊芙·塔勒
译　　者：杨玲玲　彭　懿
出版发行：中信出版集团股份有限公司
（北京市朝阳区东三环北路27号嘉铭中心　邮编　100020）
承 印 者：山东韵杰文化科技有限公司

开　　本：889mm × 1194mm　1/16　　印　　张：2　　字　　数：17千字
版　　次：2016年3月第1版　　印　　次：2023年5月第32次印刷
京权图字：01-2015-5640
书　　号：ISBN 978-7-5086-5698-4
定　　价：19.80元

出　　品：中信儿童书店
策划编辑：张昭　喻之晓　何嘉珞
责任编辑：喻之晓
营销编辑：王澜
封面设计：[illegible]
内文排版：博远文化

服务热线：400-600-8099
网上订购：zxcbs.tmall.com
投稿邮箱：author@citicpub.com

了不起的新朋友

[奥] 布丽吉特 · 威宁格 著　[法] 伊芙 · 塔勒 绘

杨玲玲 彭懿 译

中信出版集团 | 北京

小老鼠麦克斯与家人们拥抱告别。“再见啦！”他对大家说。

“我们会非常非常想念你的——”他的兄弟姐妹们大声喊道。

“我会回来的，我保证！”麦克斯说，“但是，我已经长大了，可以出去闯一闯了，我想去看看外面的世界。”

妈妈点了点头说：“麦克斯，去追逐你的梦想吧！永远别忘记每个人都是有长处的，这样，你就也会发现别人身上的优点，跟他们成为好朋友！”

麦克斯欣喜地奔向那广阔的天地。

他常常会不小心跌倒，但他并不在意这事儿。

“当你刚开始尝试做一件事情的时候，总会这样的。”麦克斯对自己说，“但我是不会退缩的，因为还有好多东西等着我去发现呢！”

麦克斯挣扎着想要爬起来。突然，他的脑袋被什么东西打了一下。

“哎哟！”麦克斯说，“什么东西？”

“哦，对……对不起，是我的拐杖，我……我没看见你。”一只小鼹鼠结结巴巴地说。

“怎么可能呢？”麦克斯说，“我这么大的个子，你怎么会看不见？难道你什么都看不到吗？”

“也不是，”鼹鼠姑娘说，“我只是眼神儿不太好。但是我的鼻子非常灵敏，就算在地底下，我也能分辨出各种东西的气味。”

“那你和我一样，也很棒啊！”麦克斯开心地说，“我的一条腿太短，胡须也很短，所以常常会跌倒。但是，我特别善于思考。你愿意做我的朋友，跟我一起去看看外面的世界吗？”

“哦，那太好了！”鼹鼠莫莉说，“咱们去哪儿呢？”

“一个能让梦想生根发芽的地方！”麦克斯回答。

他们走到池塘边，莫莉突然停了下来。

“是谁在那儿跳来跳去？”她问。

“哈，一只青蛙！”麦克斯说，“他好开心呀。哇哦！360 度转体后空翻！太棒了，青蛙兄弟，太棒了！”

青蛙惊讶地说：“呱呱……你说什么？呱呱，呱呱？”

“可能他没听懂你说的话，青蛙的耳朵都不太好使。”莫莉说。

“他的听力是不太好，”麦克斯说，“但是他跳得多高啊！你看，他笑得像得了冠军一样。他跟我们一样，也很棒！”

他伸出胳膊，温柔地握着青蛙的手，大声说：“莫莉和我要一起去看看外面的世界，追逐我们的梦想，你愿意加入我们，做我们的朋友吗？”

“呱呱！我愿意！呱呱！”青蛙弗雷迪开心地回答道。

在田野上，他们发现有只小黑鸟蹲在一个棕色的刺球前面。

小黑鸟吱吱地说：“快出来吧，求你了，我想跟你一起玩儿呢。”

一个小小的声音嘀咕道：“我不敢……”

“求你了……”小黑鸟说。

“不行，我害怕。”这回，刺球的声音更小了。

“你在跟谁说话呀？”麦克斯问小黑鸟。

“是亨利，他是只什么都害怕的小刺猬。”小黑鸟贝琳达说。

"唉，他总是怕这怕那，像这样缩成一个球。"贝琳达说道。

"这也没什么，"麦克斯说，"刺猬就是这样的。"

"你好，亨利。"莫莉说，"我们从很远的地方来，想见见你呢。"

亨利沉默了一会儿，然后用小小的声音说："真的吗？"

"我们要去外面的世界看看，没准儿你们也想加入呢！你们有什么特别的本领吗？"麦克斯问。

“我什么都不会，”亨利沮丧地说，“我只会害怕……”

“我希望你不怕暴风雨。”莫莉说。

“哦！我怕！”亨利小声说，“你为什么会说起这个？”

“因为我的鼻子告诉我暴风雨要来了。”莫莉说。

“没错！马上就要电闪雷鸣了。”麦克斯看到了一大片乌云。

“跟我走！”贝琳达说，“我知道有个地方能避雨。”

弗雷迪、麦克斯和亨利让莫莉走在中间，大家跟在贝琳达后面跑。

最后，他们在一片灌木丛里停了下来。

莫莉在地上挖了一个大大的洞。

“哎呀，”贝琳达喊道，“开始下雨了！”

“呱呱！呱呱！下雨最好玩了！”弗雷迪笑着说。

弗雷迪跳了起来，在高处摘了几片大大的叶子，

为他的朋友们搭了一个屋顶。

“嘿！这儿还有些软软的干草呢！”麦克斯说着，又被自己的脚绊倒了。

“快来，贝琳达，趁干草还没全湿，咱们赶紧拿一些！”

不一会儿，五个小伙伴就舒舒服服地互相依偎在这个小小的避风港里了。

“我觉得咱们真了不起，”莫莉说，“一个人肯定做不到！”

“是的！呱呱，呱呱……一个人肯定不行！”弗雷迪说。

“我们各有所长，”贝琳达说，“所以事情才变得容易了。”

“除了我……”亨利说，“我既不擅长思考，也没有灵敏的嗅觉，不会跳，更不会飞……我总是害怕，只会把刺竖起来。”

“你会把刺竖起来也很棒啊！”麦克斯说，“其实，你把身体蜷起来、把刺竖起来，就变成了一个超级棒的刺球……呃……保镖！你愿意做我们的刺球保镖吗？”

“我愿意！”亨利第一次露出了笑容。

“伙伴们，”麦克斯说，“我们要互相帮助，我们要永远这样！”

“那我们就不分开了。”五位好伙伴一齐说，“我们要去看看这个世界，寻找我们的梦想，我们要互相帮助，我们永远是朋友！”

[奥] 布丽吉特·威宁格

1960 年生于奥地利的库夫施泰因市，曾在幼儿园从教 20 年，非常熟悉儿童心理。1999 年成为自由作家，专门从事儿童文学写作。代表作有“小兔波力”系列等。作品曾获得奥本海姆白金图书奖和“奥地利最美童书”称号。威宁格的作品被译为 30 多种文字，深受各国儿童喜爱。现居故乡，愿望是活到 107 岁，天天快乐，尝试更多好玩的东西！

[法] 伊芙·塔勒

1956 年生于法国的米卢斯市，童年在德国度过。1981 年，她开始从事书籍插图创作，曾在出版社工作 18 年，为上百本书绘制过插图。现与两个儿子和同为插画家的丈夫居住在法国布列塔尼地区，养有三只狗、两只猫、两匹马和两头驴。她最爱的是弹钢琴、散步和坐马车出去玩！

扫一扫
收听本书故事